HAÏKUS

HAÏKUS

Anthologie

*Texte français et avant-propos
de Roger Munier
Préface d'Yves Bonnefoy*

Fayard

TEXTE INTÉGRAL

ISBN 978-2-02-086387-2
(ISBN 2-213-00883-3, 1re publication)

Avant-propos

Le haïku est un court poème en trois vers de 5/7/5 syllabes, issu d'un poème lui-même déjà bref, le *tanka*, de 31 syllabes, réparties en deux versets de 5/7/5 et 7/7 syllabes, dont on ne conserva que le premier. Cet abrègement a une histoire, qui est aussi celle du mot *haïku*.

Dès 905, le *Kokin-waka-shû*, premier recueil de poésie japonaise compilé sur ordre impérial, comporte une section intitulée *Haïkaï*, c'est-à-dire « poèmes libres ». Ce sont des *tanka* réguliers, mais dont l'allure familière, dans le vocabulaire comme dans le ton, contraste avec celle de la poésie officielle, *waka*.

Par la suite, ce terme de *haïkaï* qualifiera d'autres formes poétiques présentant le même caractère, le *renga* libre notamment, *haïkaï-renga*, d'où sortira le *haïku*. Dans le *renga*, « poème lié », les premiers vers sont composés par un poète, auquel un autre ou plusieurs donnent la réplique, en vue de former un texte continu. De cette suite de versets accolés, *renku*, on prit peu à peu l'habitude de détacher le verset initial, *hokku*, de 5/7/5 syllabes, émanant du premier poète et souvent d'une meilleure venue. Ces *haïkaï-hokku* devinrent, par raccourci, des *haïku*.

Sous sa forme autonome, le genre s'épanouit au XVIIe siècle dans l'école de Teikoku (1571-1653) ou

Teimon, puis dans celle du *Danrin*, d'inspiration plus libre. Quatre grands noms, qu'on retrouvera fréquemment dans cette anthologie, en ponctuent l'histoire jusqu'à nos jours : Bashô (1644-1694), Buson (1715-1783), Issa (1763-1827) et Shiki (1866-1902).

*
* *

Le présent choix couvre l'ensemble de cette histoire. Pour l'établir, je suis parti de l'abondante documentation rassemblée par R. H. Blyth dans la somme en quatre volumes qu'il a consacrée au *haïku*[1].

J'ai suivi l'ordre des saisons comme il l'a fait lui-même et comme y invite la nature du *haïku*, poème des saisons.

J'ai adopté également son interprétation des textes. Ma traduction s'appuie sur l'anglais de sa propre version, au moins dans un premier temps. L'ouvrage de Blyth présente en effet l'avantage d'accompagner la traduction des *haïku* d'un commentaire circonstancié permettant de mieux saisir l'intention de chaque poème. La version qu'il propose en est éclairée et son transfert en français facilité d'autant. Il est même arrivé que la lecture d'un de ces commentaires m'ait incité à m'écarter du texte anglais, pour présenter autrement dans notre langue ce que je sentais différemment du dedans. Dans les cas plus difficiles, j'ai eu recours aux suggestions d'autres traductions, françaises ou étran-

---

1. *Haïku*, par R. H. BLYTH en 4 volumes : I. Eastern Culture (440 p.), II. Spring (382 p.), III. Summer-Autumn (464 p.), IV. Autumn-Winter (442 p.) (The Hokuseido Press, Tokyo, 1950-1952). Le premier volume offre une étude d'ensemble ; les trois autres, une anthologie commentée.

gères, ou suivi d'autres gloses[1]. En un mot, j'ai voulu faire œuvre libre, à partir de travaux éprouvés. Le lecteur jugera, compte tenu de l'objectif de ce volume qui est avant tout d'introduire à l'univers spirituel du *haïku*.

*
* *

Car de quoi s'agit-il en fait dans le *haïku*, sinon de susciter par le truchement des mots un mouvement de l'esprit vers la chose *comme elle est*, dans l'instant de sa révélation soudaine et là? Et disant la chose comme elle est, d'atteindre à cette nécessité incontournable qui la fait justement ce qu'elle est, sans question, sans pourquoi, *ainsi* sans plus, dans une sorte d'antériorité soustraite au temps qui est au cœur de l'illumination subite?

Le *haïku* est par essence plus qu'un poème, même au sens fort qu'on peut donner au mot. À l'égal des autres arts du Japon, tels que le Nô, le tir à l'arc, la calligraphie, la peinture, l'arrangement des fleurs, l'art des jardins, il est tout imprégné de bouddhisme Zen. Sa pratique, écriture et lecture, est en elle-même un exercice spirituel. Il n'est pas exagéré de dire que ce que propose un *haïku* achevé est une expérience qui s'identifie peu ou prou à celle du *satori*, de l'illumination.

Partant de là, les mots du poème ont d'abord pour mission de produire le suspens de l'esprit qui caracté-

---

1. Outre la *Littérature japonaise* de René SIEFFERT (Publications orientalistes de France) et la belle traduction qu'il a donnée des *Journaux de Voyage* de Bashô aux mêmes éditions (1976), j'ai notamment consulté l'ouvrage de Donal KEENE: *Japonese Literature – An Introduction for Western Readers* (John Murray, Londres, 1953) et celui de Kenneth YASUDA: *The Japonese Haïku* (Charles Tuttle Company, Rutland and Tokyo, 1960).

rise cette expérience – comme le surgissement d'une évidence seconde qu'ils désignent, à quoi ils renvoient, mais qui n'est pas *en* eux vraiment. Ils doivent la servir, par leur justesse, leur charge expressive certes, mais leur effacement aussi. Trop de beauté, trop d'efficace verbale peut nuire dans le *haïku*. Et les textes à cet égard les plus réussis, ceux dont le pouvoir d'éveil est le plus grand, sont aussi les plus immédiats et les plus limpides. Ceux qui, du même coup, posent le moins de problèmes de traduction :

> Ils sont sans parole
> l'hôte l'invité
> et le chrysanthème blanc

> *Ryôta*

Quoi de plus simple, mais aussi de plus engageant au niveau de l'expérience, que cette brève suite de mots ?

D'une lecture hâtive, l'esprit risque de ne retenir que le silence admiratif de l'hôte et de l'invité devant le chrysanthème blanc. Dans l'image qu'il suscite, le *haïku* dit bien cela, mais autre chose encore ; lié pour une part à la contexture des mots, mais qui pourtant la déborde.

En réalité, il parle d'un silence à trois. L'hôte se tait et l'invité, mais *aussi* le chrysanthème blanc. Peut-être même est-ce son silence à lui qui est ce qui compte le plus. Les deux hommes ne sont muets devant la fleur – dont la beauté n'est pas dite, sinon à raison du silence qu'elle provoque – que parce qu'en cette beauté même elle est silence qui excède absolument toute parole. La contemplant, ils sont incités, comme contraints à partager son silence de fleur. Leur propre silence, dès lors, n'est plus seulement admiratif, mais d'adhésion à un dehors qui les dépasse, auquel ils n'accèdent qu'en se taisant. Mais auquel réellement ils accèdent, qui devient leur aussi, dans le mutisme exta-sié. Est-ce là autre chose, par le détour de la contem-plation d'une fleur, que le *satori*, l'illumination qui fait un avec le monde rencontré dans un de ses fragments *hic et nunc*, et soudain rendu présent, dans le dépasse-ment un bref instant de notre essence limitée ?

*

*   *

J'ai fait ce commentaire. Mais il est clair qu'il est loin d'épuiser la richesse polysémique du poème, même pour ce qui est de l'incitation à rejoindre le silence extatique du chrysanthème blanc... Autant que ceux de l'hôte, de l'invité, les mots de la glose sont indigents ; bien plus, ils risquent de contrarier, en lui donnant un contenu, l'épreuve sans confins qui doit naître de la lecture. À vrai dire, un *haïku* ne se com-mente pas, si ce qu'il renferme sans jamais le retenir prisonnier des mots est à chaque fois, comme le dit Blyth, « *apprehended and not expressed but pointed to* ».

Lire donc, oui sans doute, d'une lecture à la fois attentive et ouverte. Laisser surgir l'image que le *haïku* dresse vivement devant l'esprit. Laisser s'annoncer tous les sens dans le pur hors-sens du poème. Mais surtout, laisser venir ce qui vient, opérer l'inattendu et son ravissement subit. C'est, il me semble, la règle de la lecture, comme ce fut celle qui inspira l'adaptation française, pour chacun des courts poèmes ici ras-semblés.

Juillet 1977   Roger MUNIER

Du haïku

I

Une première impression, des haïkus : alors que les poètes occidentaux s'attachent si volontiers à des objets de pensée qu'ils imaginent hors de portée de la parole ordinaire – la cime des montagnes, sur l'horizon, ou la profondeur des forêts, ou ces passions qui leur semblent plus abyssales que toute psychologie – eux se soumettent d'emblée, et avec bonheur et comme à jamais, à l'autorité d'une langue qui aurait tout reconnu, tout réglé, et ne pourrait donc devenir, ni même ne le voudrait.

Qu'il s'agisse de la lune, ou de la petite grenouille qui saute dans sa lumière, ou du chrysanthème, ou même du « navet long » qui est pourtant d'une forme bien incertaine, bien difficile à espérer signifier d'un seul trait d'encre : évoqués comme ils le sont dans ces brefs poèmes, de façon aussi précise qu'intense, bien que rapide, ces éléments suggérés distincts d'un univers qui nous semble parfaitement dessinable ne paraissent pas relever de ce que nous, les Occidentaux, appellerions la nature, autrement dit d'un foisonnement, d'une profondeur que l'on sent qu'il faudra questionner encore, et reformuler, constamment, avec les progrès de la connaissance. Non, on croirait plutôt les pages d'un herbier depuis longtemps constitué, ou les pièces d'un jeu complexe, précieusement ouvragées. Et il en va de même pour les sentiments, les désirs, les émotions, les pensées que l'on voit reflétés aussi dans le miroir des dix-sept syllabes.

La langue aurait tout décidé, dans les haïkus, une langue bien établie dans son droit, heureuse ; et quand on y entend résonner, quelque peu, un bruit d'en dessous les mots – en fait, c'est à chaque instant, c'est comme un sol qui frémit – ces indices minimes d'on ne sait quoi d'autre qu'elle nous font admirer d'autant plus ces ouvriers diligents, les poètes, les peintres de caractères, qui reprennent sans se lasser cette grande tâche aux milliers d'aspects tous utiles : entretenir ce bel univers de bois léger et de verre entre les pins et l'eau du torrent, écumeuse, le garder neuf comme au premier jour. Ici, on rentre le linge. Ici, on casse le bois. Et là on lave les vitres, là on a rapproché les tisons dans l'âtre, là une jeune femme silencieuse vient disposer au centre du monde les branches et les fleurs dont l'arrangement attentif en sera l'image en abîme.

Cette impression, et aussitôt une rêverie, qui me fait imaginer entre des lieux, des climats, et la parole certains rapports dont la variété expliquerait celle même des poétiques. Je pense ainsi au nomade, qui va d'un point d'eau à un autre, sur les collines de pierres. La vie ne s'offre à ses yeux que resserrée dans rien qu'un peu d'herbe grise, traversée de boue et de sable. Quelle surabondance des mots pourrait lui faire oublier la précarité que ce signe simple donne à entendre ? Sur les pistes de ses déserts rien ne l'incite donc à préférer le langage à l'Un qui est au-delà, à peine dérobé dans l'étincellement du grand ciel et des plaques de sel parmi les dunes.

Point de désert au Japon, sauf à des sommets où ne

grimpent que les fantômes et les ascètes, pas de trous aux plis du filet, les essences s'y pressent dans l'étroitesse du monde – « *averse d'été* », dit un haïku, « *la pluie bat sur la tête des carpes* » – et mêlées à ces vies qui remontent de tous les règnes – le végétal, l'animal, mais aussi les pierres veinées, les belles étoffes, les corps – il y a des traînées de brume qui atténuent les contours mais pour aviver les couleurs, conférant aux mots qui dénomment la qualité modeste mais rayonnante d'une odeur de feuille mouillée. En cette immanence encombrée toutes les choses se connaissent bien, se fréquentent. « *Pluie de printemps* », écrit un poète, « *un parapluie et un manteau de paille passent ensemble, ils causent* ». Mais, de ce fait même, on les a apprises, on sait les dire ; et les mots aussi ont leurs échanges faciles, qui sont sans nombre. La terre japonaise serait la suggestion que les mots et les relations entre mots ont l'ampleur et la densité de la variété des choses, de l'autre côté – ou pas même – du miroir. Et isolée comme elle est restée si longtemps des propositions des autres cultures, il lui fut simple – puis-je continuer à rêver – de se donner une poésie qui ne ressemble à nulle autre.

Mallarmé appelait de ses vœux une pratique de l'écriture au sein de laquelle « l'homme, puis son authentique séjour terrestre » échangeraient mot par mot « une réciprocité de preuves » : n'est-ce pas ce qu'assure le haïku ? Et aussi bien aima-t-il, beaucoup, quelques objets, quelques signes qui lui venaient d'un Extrême-Orient peu différencié à ses yeux encore. Quand il se propose d'« imiter le Chinois au cœur limpide et fin » – le Chinois, mais c'est ce sage qui peint trois roseaux et la lune sur une tasse, nous sommes bien près du haïku –, c'est qu'il voit naître sous ce pinceau un lac, un croissant de lune comme jamais si à nu notre littérature n'en montre, mais c'est aussi qu'il comprend qu'une forme simple, un vocable, ont suffi là à les dire : pour l'artiste oriental la dénomination, rêve-t-il, est transparence, est extase. Les mots, dans leur suffisance. Et nous, dans la demeure qu'ils sont, comme les hôtes de seulement un jour mais comblés, ayant ces thés brûlants, ces alcools tièdes à boire, ces ciels à regarder où la lune monte – la lune et non nos soleils de théologies de la transcendance, car elle, c'est un reflet, donc un mot – et ces instruments à toucher dont les cordes tendues pourront vibrer jusqu'au bout des sons.

II

Toutefois, un haïku évoque

> *Tous les noms,*
> *tous les noms ardus, impossibles*
> *des herbes folles du printemps*

et voici qu'une autre réalité que celle que ce beau langage contrôle est suggérée, bien que de façon fort discrète, dans cette poésie que je croyais à la dévotion de la langue. Car, au printemps, les espèces de l'herbe se multiplient au-delà de toute saisie, et elles imposent donc à qui voudrait les connaître un travail de dénomination qui n'a pas de fin, et peut lasser ou surtout troubler. Ce qui se marque, en effet, dans cette surabondance, c'est la force qui l'a produite, et cette force n'a pas de nom qu'on puisse placer dans l'herbier sur la même liste que tous les autres, si bien que l'on peut douter, maintenant, de l'intérêt qu'il y avait à énumérer les herbes, et autres plantes ou créatures. Faut-il tourner les pages du grand album, vivre de façon aussi raffinée que possible dans l'espace de ses figures, ou s'ouvrir à l'idée de cet au-delà qui n'a ni forme ni lieu ? Ne doit-on pas percevoir dans les vocables eux-mêmes – trop nombreux en des points, trop serrés sur quelque chose d'obscur – l'embroussaillement qui indique que le chemin qu'on suivait confine à des lieux inaccessibles ?

Il y a cette question dans le haïku, on ne peut en douter longtemps, c'est le frémissement même qui y est d'emblée perceptible, et voici aussi qu'il faut remarquer qu'il fait de l'analogie un emploi qui ne convient guère à un parti pris du langage. Les comparaisons ne sont pas absentes de ces poèmes, et ainsi Buson note-t-il que « *le bruit de l'eau est sombre* », ce qui ne surprendra pas le lecteur de *Correspondances*. Mais chez Baudelaire l'analogie est comprise comme l'affleurement d'une vérité inaperçue jusqu'alors, c'est un acte de connaissance, qui prouve la capacité des mots d'atteindre à l'être des choses : les tropes naissent d'eux comme un second degré de la puissance de la parole. Ce qu'énonce Buson, par contre, c'est d'abord ou même c'est seulement une certitude de la conscience immédiate, sans arrière-pensée spéculative ; et cette perception est aussi silencieuse, en son évidence même parlée, que la traînée de couleur que laisse un pinceau sur la feuille blanche. Il ne s'est pas agi de profiter des significations déjà en place dans la parole pour en déceler d'autres, moins évidentes, dans la structure du monde : on ne veut qu'entendre le bruit de l'eau, comme auparavant, mais de façon plus affinée et subtile du fait maintenant que tous les sens y concourent. Le rapprochement ne dévoile rien, au contraire il retient – dans l'absolu d'un instant – à ce que beaucoup d'entre nous tiendraient pour un voile.

D'ailleurs, si deux aspects du monde, ou deux êtres, sont rapprochés, dans le haïku, c'est moins parce qu'ils sont comparables que parce que l'un a participé, dans cet instant et par sympathie, de l'existence de l'autre. Onitsura écrit :

> *Mon âme plonge dans l'eau*
> *et ressort*
> *avec le cormoran,*

ce qui révèle, quelle que soit l'expérience que cèle notre mot *âme*, trop grand, trop étranger au bonheur des sens, que le haïku ne formule pas, mais, rapide, se fait élan vers la chose, fusion avec elle, silence au sein déjà de ses mots. « Avec » y prend la place de « comme ». « Comme » s'est effacé avec un cri de cormoran dans la brume. Loin de renforcer le langage en son aptitude pourtant innée à signifier par la différence, la comparaison a détourné de comprendre, a éteint le désir d'analyser, en a démobilisé les moyens. C'est comme si se faisait plus ténu, plus lointain, et en cela même plus transparent, plus ouvert à des trouées de lumière, le réseau des relations signifiantes : d'où, partout, l'imminence dans la figure des choses d'une qualité d'absolu qui reste distincte de tous les aspects qu'elles ont : telle une poussée de par l'intérieur qui profiterait de mailles soudain plus larges. « *Face de l'escargot, face du Bouddha* », note Issa. L'indicible, l'indissociable ont distendu le filet.

Ce que les poètes du haïku aiment donner à voir, aussi bien, ce sont moins des choses, moins des êtres, que des frémissements, des rides tôt disparues de la surface sensible, traces du tout, ou du rien, que la pensée conceptuelle ne peut ni ne voudrait retenir. Quand nous lisons :

> *Sautant sur la lentille d'eau,*
> *dérivant avec elle,*
> *la grenouille,*

on ne doit pas chercher dans ces mots ce qu'un Francis Ponge recueillerait, une idée de la grenouille comme total de ses aspects ou façons : car ce saut sur la feuille mouillée n'est objet de l'attention du poète que comme au-delà d'une forme, si rapide a été son entrevision avant la dérive qui en éteint la mémoire. De même esprit :

> *Touchée par le fil*
> *de la canne à pêche :*
> *la lune d'été,*

où il s'agit moins de voir, par analogie, une lanterne au bout d'une hampe, ou un poisson brillant dans le fleuve-monde, que de briser toute organisation, tout haut et bas, de l'espace, pour faire place à simplement une lueur, un reflet.

Et de même esprit encore cette notation qui pourrait passer au premier regard pour rien que de la parole qui analyse, par recours à des notions, à des choses sues. Un poète a écrit :

> *Changement de domestique :*
> *le balai*
> *est accroché à une autre place,*

et nous sommes tentés de croire, compatriotes de Poe, de Conan Doyle, de Freud, que nous avons là une brève *Lettre volée* où ce qui importe, c'est l'événement qu'indique la position du balai dans la cuisine ou le vestibule, et non sa «face de Bouddha», comme Issa dirait. Comme d'ordinaire dans notre littérature, la chose ne serait qu'un indice, le regard devrait n'être qu'une lecture d'indice. Mais comprenons, au contraire, que cette maison où rien, récemment, n'avait changé, en était devenue de l'invisible ; et que le balai déplacé, c'est la perception soudain autre qui décompose, d'un coup, la vision distraite des jours et des saisons précédents, et fait surgir, d'en dessous, une étrangeté, un non-sens de tout, d'autant plus violents qu'ils ont paru par surprise. C'est comme si, revenant à la maison, nous découvrions que quelqu'un d'autre y habite, que ce n'est plus notre temps dans ce lieu que l'on croyait nôtre. Qu'on en ressorte, à ce moment-là, et l'arbre dans le jardin, et le nuage au-dessus, et toutes choses « présentes » auront alors à nos yeux cette même irréalité – et le balai, ou les meubles nouveaux, auront bien joué un rôle de révélation, d'illumination, mais à cent lieues de ce que recherche la réflexion conceptuelle, d'où le sens de ce haïku. De même qu'un creux, en mer, est tôt effacé par un nouveau plein de la vague, et vite on comprend alors qu'en tout et partout plein et vide sont même chose, de même a été comblé, par son évidence à nouveau de chose pleinement chose, le creux que le balai avait fait dans la conscience profonde en ce bref instant où il avait signifié, joué le rôle d'indice : et l'on saura maintenant que signifier ce n'est rien, que langage et non-langage c'est même rien dans le rien du monde. De tels haïkus consument la signification au point même où elle se forme, ils dénoncent ainsi tout ce qui dans les mots ne tend pas à la faire taire.

Et ils les emploient donc tout de même bien autrement qu'au premier abord j'avais cru ou voulu penser. Ma première impression, ma rêverie, ç'avait été qu'une langue était aimée, dans cette poésie, pour soi-même, qu'elle y était célébrée, l'œuvre ne faisant que laver les mots à grande eau, après l'usage de chaque jour. Mais voici qu'il me faut comprendre que si les mots brillent bien, dans les haïkus, et avec eux tout le corps des relations signifiantes, on ne trouve pas aux phrases qu'ils forment, aux idées qu'ils énonceraient, plus de nécessité, plus de raison d'être qu'à ces dessins toujours et jamais les mêmes, et surabondants de vie, âcre et pure, mais certes vides de sens, que laisse derrière soi, jeux d'écume, la vague qui se retire. Comme aux moments où on est surpris, où on a peur, on sait les significations mais de loin, on n'y adhère plus, et les signifiés ne sont plus qu'une ombre, entre l'idéogramme qui excède d'ailleurs le mot, tant le pinceau y est libre, et cette lune, cet arbre qui ont grandi devant nous, référents désormais à nu.

Le haïku, en bref, cherche à retrouver l'immédiat au sein même de la parole qui par nature abolit, d'entrée de jeu, l'immédiat. Et il y réussit sans déchirer pour autant le réseau des médiations, le langage, comme en Occident Rimbaud avait cru devoir le faire, avec tant de violence et pourtant en vain. L'immédiat, le voici ; les notions, leurs systèmes de différences, en sont à ce point, dans l'âtre, où le moindre heurt du pique-feu ferait s'écrouler la bûche, mais cette braise en a encore la forme, avec en plus la lumière. – Et si je dis l'immédiat, et non l'Un, comme je suis tenté de le faire, c'est parce que cette autre notion reste entachée de philosophie occidentale, et colorerait de métaphysique ce qui a lieu sans spéculation dans le haïku. Écoutons Riôta, qui nous dit :

> *Je rentrais*
> *furieux, offensé :*
> *le saule dans le jardin.*

L'Un, avons-nous appris, de Platon, c'est la transgression du plan du multiple, c'est donc un objet de pensée autant qu'un contenu d'expérience. L'Un, dit Riôta, c'est quand on est « furieux, offensé », c'est-à-dire bien oublieux des exigences de l'intellect : mais quand voici que le saule est là, devant nous, ce qui fait que d'un coup le vacarme intérieur s'apaise. L'immédiat, dans le haïku, c'est bien ce que nous dirions aussi l'Un, le tout : mais perçus sans conscience qu'on les perçoit. On y respire. On y est respiré. On y approche, au sein même de la parole, d'un état de non-parole, l'ultime bien. Dans la *Visite du temple de Kashino*, Bashô écrit, et sans rien, j'imagine, qui rappelle ce passé simple auquel j'ai recours, trop inscrit dans le temps, il dirait trop dramatique : « Nous restâmes assis tout un long moment dans le plus extrême silence. »

La langue, mais aussi cet « extrême silence » qui la pénètre de sa lumière. Le langage, car pourquoi se refuser à la forme qui organise le lieu, qui aide la vie à survivre : mais pour autant que cette forme ne compte pas davantage que celle des fleurs que l'on aime mais sans qu'on prête de sens aux découpes de leur corolle. C'est cette double intuition que me paraît dire un des haïkus les plus difficiles, et précisément parce qu'il s'approche de ce qu'elle a d'indicible. Bashô, encore, a écrit :

> *Après le chrysanthème,*
> *hors le navet long*
> *il n'y a rien,*

et n'est-ce pas signifier que la forme qui a réalisé, floralement, son possible, et s'est faite ainsi la belle structure qui capte notre attention, n'accède pas pour autant à ce que l'Occident en induit alors si fréquemment : une sorte d'être, quelquefois même estimée réalité supérieure ? On peut apprécier pleinement le somptueux chrysanthème, on peut semblablement, jardiniers attentifs des mots, aider à s'épanouir l'autre fleur, la langue aux mille diaprures qui semblent aussi bouger autour d'un centre invisible ; mais au seuil de l'hiver, et de ses besoins et tâches plus humbles, la masse bossue, quasi hors-langage, du « navet long », va rappeler que ce qui décourage la verbalisation a autant d'être, si c'est le mot, que ce qui la favorise ; et que l'un et l'autre, c'est même rien.

III

Une question, cependant, que je dois poser, serait-ce malaisément, car elle me trouble, et me fait douter maintenant encore de ce que je lis dans le haïku.

Une question, car je ne puis oublier que le langage, aussi riche a-t-il fini par être de mots qui disent le cormoran, la grenouille, ou même le navet long, n'a pas été, en ses rudes commencements, ce miroir où ne se réfléchiraient que les aspects ou espèces de la nature. Les premiers mots ne furent pas pour en parcourir les catalogues sans fin mais pour repérer l'abri, le chemin possibles, et l'animal mais comme gibier ou le vallon mais pour la cueillette des baies : ils dessinaient la forme d'un être-au-monde, et non celle d'un univers. Et en cela ils faisaient structure – ce qu'on peut dire une terre – autour d'un sujet qui ne pouvait trouver dans leur témoignage la moindre raison de se mettre en doute. Cette langue du lieu vécu, c'était pour lui la réalité, dont la substance était son rapport aux autres êtres, le projet qu'il partageait avec eux, le sens qu'ils donnaient ensemble à leur moment de survie – et dont l'être ultime, le fondement, c'était en somme l'espoir. La parole était espérance. C'est par la grâce de cette attente que les pulsions d'avant le langage étaient devenues solidarité, compassion, amour, c'est dans son champ que se produisaient ces grandes réflexions sur la condition humaine que furent d'emblée les œuvres de l'art. Et qu'il n'y eût là qu'illusion, c'était bien perçu, quelquefois, quand le fait de nature refluait trop sur le lieu terrestre, mais qu'importait ? On peut découvrir que l'on rêve. Mais si on rêve, on ne peut que continuer à aimer le rêve de l'autre, et le projet, la recherche du sens, continuent donc, même s'ils doivent ne s'élargir et se colorer que comme une sorte de bulle, destinée à éclater un jour sans laisser de trace dans l'indifférence de la matière.

Voilà ce dont je garde mémoire, voilà ce que j'entends dans les grands mots fondamentaux de nos langues, et c'est là ce qui me donne à penser que, peut-être, je ne comprends pas tout à fait le haïku. Car ce que j'ai dit de lui, c'est qu'on y voit l'envahissement des mots de ce que je nomme la terre – cet ensemble de signifiés qui disent le projet et veulent le sens – par ces autres qui, eux, ne dénomment que la nature : un peu comme des arbres auraient poussé dans une vallée jadis cultivée, se mêlant aux autres essences, étouffant leurs vies plus précaires, effaçant le plan qui frayait le sol, déployant à nouveau partout l'énigmatique beauté de l'origine. À la forme anthropomorphique de la terre se substitue dans le haïku celle, privée de centre, vide de sens, de ce qui l'a précédée et la suivra dans le monde. Mais faut-il penser que cette poésie va vraiment jusqu'au bout de cette pensée, autrement dit ne demande que la lucidité et rien d'autre, le déconditionnement jusqu'au point où il se fait solitude – et n'attache donc plus de valeur irréductible, essentielle, à l'acte par lequel l'humanité s'était par l'usage de la parole faite distincte de la nature ?

Et c'est à cette question que je vois bien que j'ai du mal à répondre, à accepter de répondre. Il y a quelques années, essayant déjà de comprendre Bashô, si évidemment un si grand poète, j'avais cru pouvoir m'y décider, mais c'était de l'autre façon, parce qu'on entend dans son œuvre, que rythment ses grands voyages, toute une parole selon la terre – ces voix sur les chemins, ces êtres de chaque jour naïvement occupés d'eux-mêmes – et qu'il me semblait que Bashô se sentait l'un d'eux, tout de même, et en tout cas leur marquait de la sympathie. Quand la petite Kasané, par exemple, court derrière son cheval, en riant, ne sait-il pas faire remarquer à son disciple Sora, cet observant plus rigide de la pensée du non-être, que Kasané, ce nom propre, est le dépôt d'une réalité mystérieuse contre laquelle ne prévaut pas l'expérience du rien que l'on peut faire dans des poèmes ?

Mais ce même Bashô est celui qui, à un de ses grands départs, rencontre sur sa route un enfant abandonné, en péril de mort, et qui pleure, après quoi il s'apitoie, bien sûr, et sincèrement, mais n'en décide pas moins de passer outre, comme si approfondir un détachement, poursuivre sur la voie de la délivrance, était la seule vraie tâche. Et c'est là une décision qui ne va que trop bien avec ce que je disais du haïku tout à l'heure mais, j'y reviens, est-ce là l'expérience ultime ? Ai-je le droit de conclure ? Ai-je même les mots, les catégories de pensées, qui me permettraient de le faire ? Je lis, je relis

> *Le vent sur le toit du temple,*
> *toute la nuit je l'écoute*

mais ne sais plus décider du statut de ce «Je» qui s'affirme là, ni comprendre ce que «toute la nuit» signifie. Est-ce le temps propre de l'existence, dont la personne reste le centre, avec encore son rêve ? Faut-il vraiment penser que ce n'est que ce non-événement, sans durée qu'apparente, sans dedans ni dehors, sans haut ni bas, qui passe comme un tracé de plus de l'écume sur la plage déserte de la parole ?

Je n'ai d'ailleurs pour lire ces poèmes ou même leurs commentaires que la ressource des traductions, ce qui me semble bien peu. Il est vrai que l'on souligne souvent que leur parole s'est dégagée des faits de culture ou des situations de l'histoire, elle ne serait que le saut de la grenouille dans l'eau, avec son petit bruit sans limite, ou la feuille morte qui tombe, d'où suit qu'aussi difficile il a pu lui être d'accéder au plein de ces expériences, aussi simple nous serait-il d'en reconstituer la trace verbale : il suffirait de substituer aux noms japonais des choses de la nature les mots français ou anglais qui leur correspondent, et certes précisément. Mais déjà : il n'y a pas que des mots dans le haïku, mais des caractères, qui sont des idéogrammes, des pictogrammes. Alors que cette sorte de notation est la conséquence d'un choix qui va profondément à l'encontre de ceux qu'on a faits en Europe.

Qu'est-ce que nos lettres, en effet, qu'est-ce que ces formes qui ne ressemblent à rien du monde et se referment donc sur l'ordre qu'elles instaurent, sinon un redoublement cette fois librement voulu de l'arbitraire premier du signifiant phonétique ; et, de ce fait, un acquiescement de l'esprit au projet d'un lieu spécifiquement humain, en rupture avec la nécessité naturelle – à l'abri de sa leçon de non-être ? Et une telle abstraction est évidemment dangereuse, aidant les mots à oublier ce que déjà la notion avait négligé de la chose, et par exemple et surtout cet arrière-fond d'unité qui en nous se nomme la finitude. L'alphabet nous voue à l'énigme, au rêve, et à nous armer contre autrui, qui ne peut que rêver autrement que nous. Mais en retour, la notation abstraite accentue dans l'humain ce qui en a fait la différence, elle en comprend les valeurs et même en soutient les maturations spirituelles, comme le prouve ce fait que le dieu de l'Incarnation soit signifié par un signe aussi antinaturel que ceux de l'algèbre, cette croix qui s'ajoute aux alphas et aux omégas autant

qu'elle les transcende. Déjà le scribe babylonien résis-
tait, par la majesté de ses graphes, au tyran, simple
prédateur, qui lui demandait d'éterniser ses victoires.

Et par contraste on peut mesurer de quelle ampleur
de visée a été dès ses débuts cette écriture chinoise qui
se forma par imitation des choses nommées, ce qui la
garde auprès de cette nature dont le langage tend à se
séparer, et lui permet non de réparer mais tout de même
de dénoncer l'arbitraire propre de celui-ci. Les caractères prennent le parti de la réalité du dehors, ils le font
plus encore quand l'occasion poétique leur permet de
se déployer sur ses feuilles blanches comme l'abîme. Et
la pensée du rien est alors active à ce plan aussi, que
nos traductions ne peuvent que méconnaître.

Bien difficile est-il, je le crains, de franchir entre nos
écrits et ce non-écrire, ce non-lieu, la «mystérieuse
frontière». Et bien risqués les efforts que nous pour-
rions faire pour atténuer les effets sur nous de notre
parti d'écriture, en nous souvenant par exemple que
nous avons eu nous aussi, après tout, notre façon de
lutter contre sa clôture. C'est vrai, quand Léonard de
Vinci, ou Poussin, ou Friedrich ou certains aujourd'hui
encore représentent le fleuve, les montagnes, la nuée en
mouvement dans le ciel, il y a là les éléments d'un
discours, tout imprégnés de la pensée de nos signes,
mais aussi et surtout la rencontre, au travers, d'une
évidence qui vient du monde. Et qui sait si certaines
œuvres au moins de notre peinture de paysage n'équi-
valent pas à cette pensée du Rien, mais riche peut-être
d'un souvenir de l'exister personnel, qu'il y a dans la
Sente étroite du bout du monde ? Pour bien traduire
Bashô et d'abord pour le comprendre, pour décider de
la place qu'il fait au «Je», et au «toi» dans la nuit
de vent sur le temple, ne faut-il pas nous tourner vers
des peintres de l'Occident qui seraient de même visée,

un Elsheimer par exemple, dans ses dessins, ou un Ruysdael ou un Constable ?

Mais que la lumière chez eux reste différente de celle du haïku ! Celui-ci n'a pas ces ombres portées qui soulignent l'être dans les figures, et demandent donc au déchirement des nuages de laisser passer le rayon d'une présence divine. Il ne sait rien des soleils épiphaniques, des orages qui grondent puis qui s'apaisent, des arcs-en-ciel qui sont des signes d'alliance, sa lumière n'a pas de lieu, pas de source, toutes les choses y étincellent semblablement, et les nocturnes comme les diurnes. Et par contraste notre peinture semble, comment dire, colorée, d'une sorte de ton chaleureux d'ivoire ou d'ambre, où rougeoierait un soleil qui ne serait pas de ce monde. C'est comme s'il y avait entre nous et les choses peintes un léger glacis dont le rôle serait de tenir à distance l'évidence cruelle de la nature, afin que nous puissions la convertir en images, et y déployer notre rêve. Et ce n'est donc pas de ce côté-là non plus que je trouverai du secours pour achever de comprendre ce que Bashô, je ne le sais que trop bien, me demande, avec toute la dureté du maître zen. Ai-je essayé de suggérer dans ces pages la lumière mêlée de pluie de l'étang où sautent les carpes, la lune d'été plus bas dans l'eau que la canne à pêche, en fait j'étais, et je suis encore en cet instant même, par l'esprit, dans un de nos villages sur des montagnes, aux lourdes maisons de safre, un de ces lieux comme n'en a ni n'en voudrait le Japon, faits pour retenir l'absolu dans notre existence comme on préserve un feu entre les pierres de l'âtre. Et je sors de l'une de ces maisons, à demi ruinée, mais en cela une vie, et moi qui voulais montrer la grande lumière étincelante, le nuage blanc où tout se prend et dissipe, je cherche des yeux le nuage rouge qui embrase le ciel, là-bas, de ce côté du couchant qui signifie presque autant que l'autre notre irréductible espérance. Peut-on à la fois espérer et ne pas espérer, en suis-je encore à me demander. Que vaut la lucidité lorsque la foi la déserte ?

Yves BONNEFOY

printemps

C'est le matin
du Nouvel An * – je pense aussi
à l'âge des dieux

Moritake

Le Grand Matin –
un vent du fond des âges
souffle à travers les pins

Onitsura

Premier lever de soleil –
il y a un nuage
comme un nuage dans un tableau

Shusai

* *Au calendrier lunaire, soit début février*

La fumée
dessine à présent
le premier ciel de l'année

Issa

Ah ! pouvoir être
un enfant
le jour de l'An !

Issa

Jour du Nouvel An –
le bureau les papiers
sont tels que l'an passé

Matsuo

Jusqu'à mon ombre
est pleine de vigueur
      ce premier matin de printemps

Issa

Ma femme elle-même
a l'air en visite
      ce matin de printemps

Isô

Aube du Nouvel An –
le jour d'hier
      comme il est loin !

Ichiku

Le Jour de l'An
a pris fin lui aussi
au son de la cloche

Hakki

La neige a fondu
sur une épaule
du Grand Bouddha

Shiki

Les rides sur l'eau
fondent peu à peu
la glace du lac

Shiki

Glace et eau
leur différence résolue
      de nouveau sont amies

Teishitsu

Ici de l'eau
et là de l'eau
      les eaux du printemps

Onitsura

Est-ce le printemps ?
la colline sans nom
      est perdue dans la brume

Bashô

La cloche des lointains
comme elle oscille en sa venue
        dans la brume de printemps !

Onitsura

Quand je me retournai
l'homme qui me croisait
        s'était perdu dans le brouillard

Shiki

Un jour de brume –
la grande pièce
        est déserte et calme

Issa

Les prairies sont brumeuses
les eaux font silence
c'est le soir

Buson

Par-dessus la mer
le soleil couchant
dans le filet de la brume

Buson

Le bateau de Corée
sans arrêter poursuit sa route
dans la brume

Buson

Brume du soir –
pensant aux choses du passé
comme elles sont loin !

Kitô

La vache que j'ai vendue
quittant le village
dans la brume

Hyakuchi

« C'est le vent de printemps »,
disent maître et valet
ensemble cheminant

Taigi

Pluie de printemps –
toute chose en devient
plus belle

Chiyo-ni

Un panier d'herbe
abandonné –
montagnes au printemps

Shiki

Pluie de printemps –
un parapluie et un manteau de paille
vont ensemble devisant

Buson

Rien d'autre aujourd'hui
que d'aller dans le printemps
rien de plus

Buson

La longue journée –
mes yeux se sont usés
à contempler la mer

Taigi

Sur la plage de sable
des empreintes de pas –
long est le jour de printemps

Shiki

Lenteur du jour –
un faisan
     s'installe sur le pont

Buson

La mer de printemps
se soulevant et retombant
     tout le long du jour

Buson

Au fil de la rivière
nulle trace de pont –
     long est le jour

Shiki

Un soir de printemps –
à personne apparemment
cette charrette abandonnée

Gyôdai

Lorsqu'on est vieux
même la longueur du jour
est cause de larmes

Issa

Un soir de printemps –
dans l'ombre du temple
un mystérieux suppliant

Bashô

Notre canari s'est échappé
la journée de printemps
touche à sa fin

Shiki

Longueur du jour –
le bateau devise
avec la grève

Shiki

Au labour dans les champs –
venant du temple sur la hauteur
le cri du coq

Buson

Ignorant
que l'endroit fut illustre
un homme sarcle le champ

Shiki

Au labour dans les champs –
l'homme qui demandait son chemin
a disparu

Buson

Tout le long du jour
sarclant le champ
à la même place

Shiki

L'homme
en train de sarcler le champ
semble immobile

Kyorai

Labour dans les champs –
le nuage qui jamais ne bougeait
s'en est allé

Buson

Bien qu'amassée pour le feu
la broussaille
se met à bourgeonner

Bonchô

Dans l'eau que je puise
scintille le début
    du printemps

Ringai

Tous les divers
les difficiles noms
    des herbes folles du printemps

Shadô

Captant le reflet
de la rose jaune
    le printemps est jaune

Ransetsu

Les pétales de la rose jaune
est-ce qu'ils frémissent et tombent
au bruit de l'eau bondissante ?

Bashô

Cueillant une violette –
le faible cœur
du printemps !

Gyôdai

La cueillir quel dommage !
la laisser quel dommage !
ah cette violette !

Naojo

Pour le cœur
qui ne doute pas
les blanches fleurs du prunier

Mokuin

Quand les cerisiers sont en fleur
les oiseaux ont deux pattes
les chevaux quatre

Onitsura

Près d'un puits
d'eau croupissante
des fleurs de prunier

Issa

Le saule
a oublié sa racine
dans les jeunes herbes

Buson

Oh qu'ils sont verts
les filaments du saule
sur les eaux glissantes !

Onitsura

Un saule vert
s'égouttait dans la boue
à marée basse

Bashô

Le prunier en fleur
attend son maître
dans le jardin

Kikaku

Chaque fleur nouvelle au prunier
fait monter
la chaleur

Ransetsu

De quel arbre en fleur
je ne sais
mais quel parfum !

Bashô

Sous la lune voilée
les fleurs de Kaido
　　　sommeillent

Kikaku

La lune passe à l'ouest
l'ombre des fleurs
　　　s'étire à l'est

Buson

Au clair de lune
le prunier blanc redevient
　　　un arbre d'hiver

Buson

Le halo de la lune
n'est-ce pas le parfum des fleurs de prunier
monté là-haut ?

Buson

La face de la lune
douze ans d'âge environ
dirais-je

Issa

J'allai aux cerisiers en fleur
je dormis sous eux
tel fut mon loisir

Buson

Le moine malade
nettoie le jardin –
      pruniers en pleine fleur

Sora

Bruit de quelqu'un
se mouchant avec les doigts –
      les pruniers dans leur éclat

Bashô

Les gens du siècle
ne remarquent pas les fleurs
      du châtaignier près du toit

Bashô

Fête des fleurs –
accompagné de sa mère
un enfant aveugle

Kikaku

Qu'on me jette une pierre
j'ai cueilli
une branche de cerisier

Kikaku

La branche en fleur du prunier
accorde son parfum
à qui l'a brisée

Chiyo-ni

Décrépitude –
même en brisant ce rameau fleuri
une bouche grimaçante

Issa

Un monde de douleur et de peine
alors même que les cerisiers
sont en fleur

Issa

Quand le jardin
fut balayé de frais
tombèrent des fleurs de camélia

Yaha

La fleur de camélia
qui allait tomber
s'est prise dans les feuilles

Shôha

Une fleur de camélia tomba
un coq chanta
une autre tomba

Baishitsu

Dans tout le soir un seul bruit
celui de la chute
des blanches fleurs de camélia

Rankô

À chaque pétale qui tombe
les branches du prunier
      vieillissent

Buson

L'enfant bouche bée qui contemple
des fleurs qui tombent
      est un Bouddha

Kubutsu

Les fleurs de prunier disparues
comme il est solitaire
      le saule !

Buson

Les fleurs de cerisier tombées
le temple appartient
aux branches

Buson

Les fleurs sont tombées –
nos esprits maintenant
sont en paix

Koyû-ni

Sur le crottin de cheval
les fleurs tombées du prunier rouge
on les dirait embrasées

Buson

Ces fleurs de cerisier
qui tant me ravissaient
            ont disparu de la terre

Issa

Le saule
ondule en souriant
            à la porte

Issa

Je rentrais
furieux offensé –
            le saule dans le jardin

Ryôta

Remets au saule
tout le dégoût
tout le désir de ton cœur

Bashô

Tout fourbu
cherchant un gîte pour la nuit –
ah ces glycines !

Bashô

En arrêt devant
les boutons d'une fleur de concombre
dans l'herbe

Shiki

Empourprant les montagnes du soir
les azalées –
nulle maison en vue

Shiki

L'uguisu * chante –
c'était hier
à la même heure

Chora

Attiré par le chant lointain
de l'uguisu
le soleil monte à l'horizon

Chora

* *Oiseau chanteur, célèbre au Japon*

Parmi les fleurs de prunier
l'uguisu
nettoie ses pattes sales

Issa

Point du jour –
l'alouette chante
du fond de la pluie

Issa

L'alouette –
seul tombe son cri
elle-même invisible

Ampû

Alouettes en plein essor
foulant les nuages
aspirant la brume

Shiki

L'alouette
se bat
contre les vents de printemps

Yasui

Cris
par-delà les nuages blancs
– alouettes

Kyoroku

L'alouette en chantant
façonne
les nuages

Seien

L'alouette
se cache
dans l'étendue du ciel bleu

Rikuto

Au milieu de la plaine
chante l'alouette
libre de toutes choses

Bashô

Tes petits vont attendre
alouette
si haut perdue dans le ciel !

Sampû

L'alouette s'élance
l'alouette retombe –
si vert est l'orge !

Onitsura

L'alouette
s'est laissée glisser
pour son repas de midi

Issa

Éternuant
j'ai perdu de vue
l'alouette

Yayu

Moineaux voletant
dans les champs de colza
l'air d'admirer les fleurs

Bashô

Les moineaux
jouent à cache-cache
parmi les plans de thé

Issa

Si tu es tendre pour eux
les jeunes moineaux
te feront dessus

Issa

Un moineau épuisé
au milieu
d'une troupe d'enfants

Issa

Le moineau aveugle
saute sur la fleur
du volubilis

Gyôdai

Viens jouer avec moi
moineau
orphelin

Issa

Ah ! hirondelle du soir
mon cœur est plein de craintes
pour le lendemain !

Issa

Une hirondelle
s'est envolée
du nez du Grand Bouddha

Issa

L'hirondelle
fait une culbute –
          qu'a-t-elle oublié ?

Otsuyu

Comme si rien n'avait eu lieu
la corneille
          et le saule

Issa

Le papillon
posé sur la cloche du temple
          endormi

Buson

Éperdu de fleurs
stupéfait à la lune
le papillon !

Chora

De l'herbe folle
quel papillon
est né !

Issa

Le papillon voletant –
je me sens moi-même
une créature de poussière

Issa

À chaque coup de vent
le papillon change de place
          sur le saule

Bashô

Même poursuivi
le papillon
          jamais ne semble pressé

Garaku

Une fleur tombée
remonte à sa branche !
          non c'était un papillon

Moritake

Le papillon bat des ailes
comme s'il désespérait
de ce monde

Issa

Quand le papillon disparut
mon esprit
revint à moi

Wafû

Sans y prendre garde
la grenouille
franchit ma porte

Issa

Le vieil étang –
une grenouille y saute pfloc !
le bruit de l'eau

Bashô

Grenouilles coassantes
comme se poussant du coude
avec leurs cris

Hokushi

Elle soutient un match
de regards avec moi
la grenouille

Issa

Au printemps
les grenouilles chantent
en été elles aboient

Onitsura

De quel air revêche
elle me regarde
la grenouille !

Issa

Le vent tombe
les montagnes sont dégagées
maintenant les grenouilles !

Ôemaru

Elle a l'air démunie
quand elle nage
la grenouille

Buson

La grenouille fait surface
par la force
de son non-attachement

Jôsô

Immobile et sereine
la grenouille fixe
les montagnes

Issa

D'une secousse
le faon chasse le papillon
et se rendort

Issa

Sur la plage à marée basse
tout ce qu'on ramasse
bouge

Chiyo-ni

Les amours du chat
oublieux même du riz
qui colle à ses moustaches

Taigi

Sous la pluie de printemps
une belle jeune fille
        lâche un long bâillement

Issa

Le petit chat
qu'on pèse sur la balance
        poursuit ses jeux

Issa

Le jeune chien
poussant ses pattes endormi
        contre le saule

Issa

Sous un pot rempli d'azalées
une femme
émiettant de la morue sèche

Bashô

Femmes en train de planter le riz –
tout est sale en elles
excepté leur chant

Raizan

Un cerf-volant
à la même place
dans le ciel d'hier

Buson

Un beau cerf-volant
s'éleva
de la baraque du mendiant

Issa

Affalé au sol
le cerf-volant
était sans âme

Kubonta

Les oies sauvages au loin parties
le champ de riz devant la maison
semble envolé

Buson

Le vaste champ
d'un seul cri
le faisan l'a englouti

Yamei

Le soleil couchant
s'attarde sur la queue
du faisan doré

Buson

Le meuglement de la vache
dans l'étable
sous la lune voilée

Shiki

Tremblant dans les herbes
des champs
le printemps s'en va

Issa

Dans les fleurs tardives de cerisier
le printemps qui s'en va
hésite

Buson

Balayant les feuilles éparses
dans le convoi
du printemps qui s'en va

Buson

été

Le Temple de Bouddha –
dans la distance
la mer de juin

Shiki

Sur la route de Shinano
la montagne pèse sur moi –
la chaleur !

Issa

L'enfant sur mon dos
joue avec mes cheveux –
la chaleur !

Sono-jo

Les melons ont si chaud
qu'ils ont roulé
             hors de leur cachette feuillue

Kyorai

Le marchand d'éventails
promène sa charge de vent –
        la chaleur !

Kakô

Une houe laissée là
personne en vue –
        la chaleur !

Shiki

Montagnes au loin
où la chaleur du jour
s'en est allée

Onitsura

La fraîcheur
au milieu d'un champ de riz vert
d'un unique pin

Shiki

Fraîcheur –
les nuages ont de hautes cimes
et de moindres cimes

Issa

Des pins sur chaque île –
le bruit du vent
          est frais

Shiki

Pauvre pauvre
la plus pauvre des provinces
          mais sentez cette fraîcheur !

Issa

Ondulante serpentante
la brise fraîche
          vient à moi

Issa

Brise légère –
l'ombre de la glycine
tremble à peine

Bashô

On voit la brise du matin
souffler les poils
de la chenille

Buson

La brise fraîche
emplit le vide ciel
de la rumeur du pin

Onitsura

La lune à minuit –
une boule
      de fraîcheur

Teishitsu

Le dos tourné au Bouddha
comme il est frais
      le clair de lune !

Shiki

Le son de la cloche
quand il quitte la cloche –
      fraîcheur !

Buson

Le Grand Bouddha
son impitoyable
          fraîcheur !

Shiki

La branche de lespédèze
ondule sans répandre
          une seule goutte de rosée

Bashô

Venue du fond
de la nuit brève
          émerge la rivière Ôi

Buson

La brève nuit –
sur la chenille duveteuse
            des perles de rosée

Buson

La nuit brève –
aux abords d'un village
            une échoppe est ouverte

Buson

La nuit brève –
il reste des lumières
            dans le port

Shiki

Ma vie –
combien en reste-t-il encore ?
la nuit est brève

Shiki

Vingt mille personnes
sans abri * –
la lune d'été

Shiki

Touchée par le fil
de la canne à pêche
la lune d'été

Chiyo-ni

* *Lors du grand incendie de Takaoka*

Lune d'été –
de l'autre côté de la rivière
qui est-ce ?

Chora

Elle a couché l'enfant
elle lave à présent le linge –
la lune d'été

Issa

Le son de la cloche fêlée
lui aussi est chaud –
la lune d'été

Hokushi

La veilleuse brûle encore
quatre heures sonnent –
          la brève nuit

Shiki

Houle des nuages bas
amoncelés
          sur la ligne lointaine de la mer

Shiki

Cheminant par la vaste lande
les hauts nuages
          pèsent sur moi

Buson

Nuées en marche –
à la maison voisine
                un mortier en train de moudre

Riyu

Une bourrasque –
les papiers blancs sur le pupitre
                tous envolés

Buson

Averse d'été
une femme solitaire
                rêve à la fenêtre

Kikaku

Sur le pont suspendu
en désordre
les traits de la pluie fraîche

Shiki

Un éclair !
Hier à l'est
aujourd'hui à l'ouest

Kikaku

Averse d'été –
la pluie bat
sur la tête des carpes

Shiki

Toutes mouillées
inclinées
pivoines sous la pluie

Bashô

Sous les pluies d'été
le sentier
a disparu

Buson

Fraîcheur la nuit
du bruit de l'eau
s'égouttant dans le puits

Issa

Champs et montagnes
mouillés de pluie
une aube fraîche

Shiki

Un éclair au matin !
bruit de la rosée
s'égouttant dans les bambous

Buson

Sous la pluie d'été
les feuilles du prunier
ont la couleur du vent frais

Saimaro

Nu
sur un cheval nu
        sous la pluie tombant à verse

Issa

Averse d'été –
les moineaux du village
        s'accrochent aux herbes

Buson

Pas d'autre bruit
que l'averse d'été
        dans le soir

Issa

Si rudement tombe
sur les œillets
l'averse d'été

Sampû

Les jours de pluie
le moine Ryôkan
fait piètre figure

Ryôkan

Pour l'oreille de mon grand âge
les pluies d'été
s'écoulant dans le chéneau

Buson

Délice
de traverser la rivière d'été
        sandales en mains !

Buson

La rivière d'été –
un pont mais le cheval
        passe à travers l'eau

Shiki

À cheval
j'ai lâché les rênes –
        l'eau limpide

Shiki

Les pierres du fond
semblent bouger –
　　　l'eau claire

Sôseki

Le petit poisson
entraîné à reculons
　　　dans l'eau claire

Kitô

Changement d'habits * –
le printemps a disparu
　　　dans la grande malle

Saikaku

* *Le premier jour du quatrième mois selon le calendrier lunaire, on
prenait les habits d'été*

Ayant changé d'habits –
je m'assieds
mais je suis seul

Issa

Le mendiant
il a ciel et terre
comme habits d'été

Kikaku

Changement d'habits –
le corbeau est noir
le héron blanc

Chora

Changement de domestiques –
le balai accroché
  à une autre place

Yayû

Papiers froissés
après le départ du domestique –
  sentiment de solitude

Senna

Une belle fille
avec bruit mastiquant
  le gâteau de *chimaki* *

Issa

---

* *Boulette de riz enveloppée dans une pousse de bambou*

Un léger somme –
la main s'arrête qui agitait
l'éventail

Taigi

L'autel du Bouddha est éteint
la chambre est aux mains
des poupées

Gyôdai

À la lumière qu'on allume
les ombres des poupées
une ombre pour chacune

Shiki

La femme sans enfants
comme elle est tendre
avec les poupées !

Ransetsu

Le doigt blessé
du maçon
et les azalées rouges

Buson

Pauvre gîte –
les gémissements du chien
dans la pluie nocturne

Bashô

Un cheval attaché
à un arbre bas
    dans la lande d'été

Shiki

Hameau perdu –
habitués à leur misère
    ils prennent le frais dans le soir

Issa

Prenant le frais sur le pont –
la lune et moi
    demeurons seuls

Kikusha-ni

Mon âme
plonge dans l'eau et ressort
avec le cormoran *

Onitsura

Petit jour – dans leur panier
les cormorans épuisés
sont endormis

Shiki

L'enfant qui l'imite
est plus merveilleux
que le vrai cormoran

Issa

* *À la pêche au cormoran*

Le coucou chante –
dans un petit panier
        deux ou trois aubergines

Kikaku

Le vent cesse
l'eau s'égoutte dans les bois
        chante un coucou

Kikaku

La carpe fit un bond
et l'eau de nouveau lisse –
        chant du coucou

Gonsui

Chante le coucou
qui n'a parents
ni enfants !

Buson

Est-ce la lune
qui a crié ?
le coucou !

Baishitsu

Je suis à Kyôto
mais au chant du coucou
rêvant de Kyôto

Bashô

Ah le coucou !
j'écouterai le reste du chant
au pays de la mort

Aon

Il est midi
les loriots sifflent
la rivière coule en silence

Issa

Les nuages accélèrent
au rythme du cri
du coq de bruyère

Issa

Matin d'après l'orage –
les melons seuls
n'en savent rien

Sodô

Tachetés de boue
par la rosée
les melons ont un air frais

Bashô

Oublieux
du regard fixe du voleur
melons au frais

Issa

Les melons –
pour eux je l'ai grondé l'an passé
maintenant je les offre à son esprit

Ôemaru

Le saule
contemple à l'envers
l'image du héron

Kikaku

Sous la brise du soir
l'eau clapote
contre les pattes du héron

Buson

Chauves-souris voletant
dans un village sans oiseaux
à l'heure du repas du soir

Issa

Le bruit de la chauve-souris
voletant dans le fourré
est sombre

Shiki

Le martin-pêcheur –
sur ses plumes mouillées
brille le soleil du soir

Tôri

L'enfant
promène le chien
sous la lune d'été

Shôha

Pour vous aussi puces
la nuit est longue
longue et seule

Issa

Vive rétive puce
deviens par ma main
un Bouddha

Issa

Ne tue pas la mouche
vois comme elle tend
      vers toi les pattes

Issa

Tuant des mouches
j'en viens à désirer
      les anéantir toutes

Seibi

Un humain
une mouche
      dans la vaste chambre

Issa

Dans le vieux puits
un poisson gobe un moustique –
le bruit de l'eau est sombre

Buson

L'enfant perdu
qui pleure pleure
mais court après les lucioles

Ryusûi

Poursuivie
la luciole
se cache dans la lune

Ryôta

La luciole

éclaire

son poursuivant

Ôemaru

Quand l'aube pointe

la luciole

devient un insecte

Aon

La luciole –

sa luisance

froide dans la main

Shiki

Dans un coin du vieux mur
immobile
l'araignée grosse

Shiki

Tous les bruits de la rue
meurent au loin –
chant des cigales

Shiki

Cigales des pins
comme il vous faut crier
pour que vienne midi !

Issa

D'immenses arbres
aux noms inconnus –
cris des cigales

Shiki

Silence –
le cri des cigales
taraude les roches

Bashô

On voit la cigale
quand elle cesse de chanter
et s'envole

Shiki

Rien ne dit
dans le chant de la cigale
            qu'elle est près de sa fin

Bashô

Écarte-toi s'il te plaît
et laisse-moi planter ces bambous
            ô crapaud !

Chora

« Je fais mon Apparition
moi le crapaud
            je sors de Mon Fourré ! »

Issa

Le crapaud ! on dirait
qu'il va vomir
    un nuage !

Issa

Crépuscule du matin –
la gueule du crapaud
    exhale la lune

Shiki

Il a l'air
de vouloir chevaucher la brume
    ce crapaud !

Issa

Quand l'averse qui passe
tombe sur les jeunes feuilles
les grenouilles crient

Rogetsu

La pluie nocturne
a multiplié les escargots
sur les aspidistras

Shôha

Où peut-il aller
dans la pluie
cet escargot ?

Issa

Un escargot
une corne courte l'autre longue –
qu'est-ce qui le trouble ?

Buson

Quand est-il venu
si près de moi
cet escargot ?

Issa

Sous la lune du soir
il est nu jusqu'à la taille
l'escargot

Issa

Ma maison natale –
la face de l'escargot
　　　est la face de Bouddha

Issa

Une truite saute
les nuages s'agitent
　　　dans le lit du torrent

Onitsura

Calme –
une feuille de châtaignier
　　　glisse dans l'eau claire

Shôhaku

Le bois d'été
un homme y entre
et disparaît

Shiki

Était-ce une fleur une baie
ce qui tomba dans l'eau
au cœur du bois d'été ?

Buson

Pas une feuille ne bouge
comme il est effrayant
le bois d'été !

Buson

Tout proche d'être un Bouddha
paresseusement rêve
le vieux pin

Issa

Parmi tant de fleurs
le pivert en quête
d'un arbre mort

Jôsô

Adhérent à un champignon
la feuille
d'un arbre inconnu

Bashô

Le serpent s'esquiva
mais le regard qu'il me lança
resta dans l'herbe

Kyoshi

Des insectes d'été
tombent morts
sur mon livre

Shiki

Convalescence –
mes yeux se fatiguèrent
à contempler les roses

Shiki

Dans le silence
avant l'arrivée des hôtes
les pivoines

Buson

Quand les pivoines fleurissent
il semble qu'il n'est plus
d'autres fleurs autour d'elles

Kiichi

Dans la brise du soir
les roses blanches
bougent toutes

Shiki

Devant le volubilis épanoui
nous prenons notre repas
nous qui ne sommes que des hommes

Bashô

Le jardin est obscur
tranquille dans la nuit
la pivoine

Shirao

La lourde charrette
gronde en passant
la pivoine frémit

Buson

Ayant cueilli la pivoine
je me sentis déprimé
ce soir-là

Buson

Les pivoines flétries
nous partîmes
sans regret

Hokushi

Les fleurs du pavot
comme calmement
elles tombent !

Etsujin

Un grand vent
soudain se leva –
　　l'oriflamme !

Shiki

Sur la mer très loin
où va-t-il
　　le vent vert et brumeux ?

Jôsô

L'ardent soleil
la rivière Mogami
　　l'a dans la mer entraîné

Bashô

Qu'est devenue Enjo ?
elle a vécu sa vie et maintenant
elle est comme la mer d'été

Kikaku

automne

Solitaire automne –
un soupir ah ! le son
d'une cloche lointaine

Yûsui

Beau jour automnal –
une fumée – d'où venue ?
monte dans le ciel

Shiki

Il fait plus froid
nul insecte
n'approche de la lampe

Shiki

Sur une branche dépouillée
un corbeau
ce soir d'automne

Bashô

Ce chemin
personne ne le prend
que le couchant d'automne

Bashô

Repas d'automne –
par la porte ouverte
entre le soleil du soir

Chora

Soir d'automne –
un corbeau passe
sans un cri

Kishû

Soir d'automne –
il est un bonheur aussi
dans la solitude

Buson

La petite fille
prend seule son repas
dans le soir d'automne

Shôhaku

Le soleil pourpre
aussi brûlant –
    mais le vent est d'automne

Bashô

Le jeune chien qui ne sait
que l'automne est venu
    est un Bouddha

Issa

Dans la chambre voisine
la lumière aussi s'éteint –
    nuit froide

Shiki

Profond l'automne –
mon voisin
comment vit-il ?

Bashô

C'est le Dixième Mois –
nulle part je ne vais
personne ici ne vient

Shôhaku

Appuyé contre l'arbre nu
aux rares feuilles
une nuit d'étoiles

Shiki

Minuit profond –
la Rivière du Ciel *
          a changé de place

Ransetsu

La longue nuit –
le bruit de l'eau
          dit ce que je pense

Gochiku

Le faisan doré sur la branche
se repose d'une patte sur l'autre –
          longue est la nuit

Buson

---

* *La Voie lactée*

Il est transi
de pauvreté
ce matin d'automne

Buson

Matin froid –
gaiement l'acolyte
entonne le soutra

Shiki

Le son de la cloche
tournoie dans la brume
au petit matin

Bashô

Dans le brouillard dense
qu'est-ce qui se crie
de colline à bateau ?

Kitô

Lever du jour –
la brume du Mont Asama
rampe sur la table

Issa

Brouillard de rivière –
poussant le cheval dans l'eau
le bruit de l'eau

Taigi

Jour de bonheur tranquille
le Mont Fuji voilé
        dans la pluie brumeuse

                                        Bashô

Descendant de cheval
je demande le nom de la rivière –
        le vent d'automne

                                        Shiki

Souffle le vent d'automne
nous sommes vivants et pouvons nous voir
        toi et moi

                                        Shiki

Plus blanc que les pierres
de la pierreuse montagne
        le vent d'automne

Bashô

Le vent d'automne fait fureur
mais haut dans le ciel
        les nuages sont immobiles

Rogetsu

Route sur la lande d'automne –
quelqu'un vient
        derrière moi

Buson

Se détachant dans le soir
sur le pâle ciel bleu
          rang sur rang les montagnes d'automne

Issa

Montagnes d'automne –
ici et là
          des fumées s'élèvent

Gyôdai

Deux maisons
les portes ouvertes –
          montagnes d'automne

Michihiko

Compagne du grand vent
une solitaire lune
        roule dans le ciel

Bonchô

Après le grand nettoyage
du Temple de Zenkôji
        la brillante lune d'automne

Issa

La lune au plus haut –
je traverse
        un quartier pauvre

Buson

La lune déclinante
sur quatre ou cinq personnes
qui dansent !

Buson

Un village de pêcheurs
dansant sous la lune
à l'odeur du poisson frais

Shiki

Après la danse
le vent dans les pins
le chant des insectes

Sogetsu-ni

La lune d'automne –
j'ai erré toute la nuit
    autour de l'étang

Bashô

De temps à autre
les nuages accordent une pause
    à ceux qui contemplent la lune

Bashô

Pleine lune –
ma hutte délabrée est bien telle
    que vous la voyez

Issa

Brillante lune –
pas de coin sombre
où vider le cendrier

Fugyoku

Contemplant la lune –
on la regarde elle se couvre
on l'oublie elle se montre

Chora

La lune dans l'eau
fit un saut périlleux
et se répandit au loin

Ryôta

Après avoir contemplé la lune
mon ombre avec moi
revint à la maison

Sodô

Solitude –
après le feu d'artifice
une étoile filante

Shiki

Le feu d'artifice fini
tout le monde en allé
comme il fait sombre !

Shiki

J'ai brûlé un cierge au dieu –
sur le chemin du retour
le cri du cerf

Shiki

Trois fois il s'éleva –
et puis se tut
le cri du cerf

Buson

La vache meuh ! meuh !
émerge
de la brume

Issa

Au cri lancé
après un bœuf
        une bécassine s'envole dans le soir

Shikô

Une châtaigne tombe
les insectes font silence
        parmi les herbes

Boshô

Cueillant des champignons
ma voix
        devient le vent

Shiki

Un oiseau chanta –
tomba au sol
une baie rouge

Shiki

Apaisant l'esprit
au cœur de la forêt
l'eau s'égoutte

Hôsha

Une herbe folle en fleur –
entendant son nom
je la vis d'autre manière

Teiji

Qu'elle était belle énorme
cette châtaigne
            hors de portée !

Issa

Le chardon brille
dans le matin
            après la pluie

Santôku

Après la tempête d'automne
comme il est beau
            le poivre rouge !

Buson

Pelant une poire –
de tendres gouttes
glissent au long du couteau

Shiki

Rosée blanche sur la ronce –
une goutte
sur chaque épine

Buson

Tintent les cloches à vent
tandis que les poireaux
se balancent

Shosei

De temps à autre
effleurant les volets
bruissent les lespédèzes

Sesshi

Sur la feuille de lotus
la rosée de ce monde
se distord

Issa

« Je ne veux plus avoir affaire
à ce monde sordide »
et se détache la goutte de rosée

Issa

Après la tempête
les cigales sont rares
ce matin d'automne

Shiki

Ce même paysage
entend le chant
et voit la mort de la cigale

Bashô

Mourantes
et d'autant plus bruyantes
les cigales d'automne

Shiki

De quelle voix chanterais-tu
et quel chant araignée
dans la brise d'automne ?

Bashô

Même parmi les insectes
il en est d'habiles au chant
d'autres non

Issa

On écoute les insectes
et les voix humaines
d'une oreille différente

Wafû

Chant d'insectes –
un trou dans la muraille
hier inaperçu

Issa

Le commencement de l'automne
décrété
par la libellule rouge

Shirao

Libellules
dans un village paisible –
il est midi

Kyoshi

La libellule
tente en vain de se poser
sur un brin d'herbe

Bashô

Dans la lumière du soir
l'ombre à peine des ailes
de la libellule

Karô

La danse des libellules –
un monde
dans le soleil couchant

Kigiku

Entre la lune qui s'en va
et le soleil qui vient
les rouges libellules

Nikyû

Sous la lune d'automne
les ailes de la libellule
sont immobiles

Môen

La libellule
agrippée au mur –
lumière du couchant

Senka

Dans les cordages du navire
les libellules sans cesse
vont et viennent

Taisô

La libellule
se perche sur la trique
qui la pourchasse

Kôhyô

Mon ombre imprègne la muraille
cette nuit d'automne –
un grillon chante

Ryôta

Un grillon monte
à la crémaillère –
    froide est la nuit

Buson

Ma hutte la nuit
le grillon
    y fourrage

Issa

La femelle du grillon
mangé par le chat
    dira son chant funèbre

Kikaku

Des grues sur les champs
à demi moissonnés –
        automne au village

Tôsei

L'épouvantail au loin –
il allait avec moi
        tandis que j'allais

Sanin

Du jour où il existe
il est tout vieux
        l'épouvantail

Nyofû

De toutes choses
la plus stupide
            est l'épouvantail

Shiki

À ses pieds mêmes
on vole des fèves –
        quel épouvantail !

Yayû

Le riz une fois récolté
l'épouvantail
        n'est plus le même

Buson

L'hiver venu
les corbeaux se perchent
sur l'épouvantail

Kikaku

Le froid
d'où vient-il donc
ô épouvantail ?

Issa

Son chapeau emporté –
comme elle est sans pitié la pluie
sur l'épouvantail !

Hagi-jo

Il est indifférent
aux rayons du soleil couchant
l'épouvantail

Shirao

Les humains passe encore
mais pas même les épouvantails
ne sont droits

Issa

Dans ce monde éphémère
l'épouvantail aussi
a des yeux et un nez

Shiki

Au clair de lune
les épouvantails ont l'air d'humains
si pitoyables

Shiki

La lune dans son éclat –
comme s'il n'y avait rien de spécial
l'épouvantail dressé

Issa

Le maître du champ
va prendre nouvelle de l'épouvantail
et s'en revient

Buson

Là où je vis
il y a plus d'épouvantails
que d'humains

Chasei

Même devant Sa Majesté
l'épouvantail n'enlève pas
son chapeau tressé

Dansui

Le vent d'automne
secoua l'épouvantail
et passa

Buson

Au soleil couchant
l'ombre de l'épouvantail
atteint la route

Shôha

L'épouvantail
a l'air d'un humain
quand il pleut

Seibi

Les moineaux volent
d'épouvantail
à épouvantail

Sazanami

Première chose
à être soufflée par la tempête
l'épouvantail

Kyoroku

Même devant l'épouvantail
dans mon grand âge
j'ai honte de moi

Issa

Automne avancé –
les épouvantails se couvrent
de feuilles mortes

Otsuyû

Debout
rendant l'esprit
l'épouvantail

Hokushi

Sur la mer obscure
le cri blême
d'un canard sauvage

Bashô

Oie sauvage oie sauvage
à ton premier voyage
quel âge avais-tu ?

Issa

Oies sauvages en allées
combien de fois avez-vous vu
la fumée du Mont Asama ?

Issa

La chauve-souris
volant de saule en saule
dans la rougeur du soir

Kikaku

La bécassine en fuite à tire-d'aile –
les ondes s'étirant
au lavage de la houe

Buson

Ni sourire
ni larmes
dans cet hibiscus

Ransetsu

Un hibiscus
au bord de la route –
le cheval l'a brouté

Bashô

Je posai la main sur lui
mais n'en cueillis et passai –
l'hibiscus

Sampû

Orchidée du soir
cachant dans son parfum
le blanc de sa fleur

Buson

Rampant sur le sol
de la maison déserte
un volubilis

Shiki

Sur le tas d'ordures
un volubilis a fleuri –
tardif automne

Taigi

Souffle le vent d'automne
mais les bogues des châtaignes
sont vertes

Bashô

Dans la profondeur des bois
le pivert
et le bruit de la hache

Buson

Le pivert
au même endroit s'obstine –
déclin du jour

Issa

Sans entrer – rien qu'au passage –
les feuilles d'automne
    au Temple de Fujisawa

Buson

Des feuilles mortes
venues d'ailleurs en tourbillons –
    l'automne à sa fin

Shiki

De feuillage pourpre
il n'en est pas ici
    au fond des montagnes

Shiki

Sur la balustrade
montent les ombres
des chrysanthèmes

Kyoroku

Chrysanthèmes blancs –
autour d'eux maintenant
tout est grâce et beauté

Chora

Chrysanthèmes blancs
chrysanthèmes jaunes –
qu'il n'y ait pas d'autres noms !

Ransetsu

Le chrysanthème blanc –
pas la moindre impureté
à la rencontre de l'œil

Bashô

Dans la clarté de l'aube
les chrysanthèmes blancs
semblent plus grands que nature

Yasei

Toutes choses contemplées
mes yeux revinrent
aux chrysanthèmes blancs

Isshô

Rêvant chaque année
aux chrysanthèmes
rêvé par eux

Shiki

Devant le chrysanthème blanc
les ciseaux un instant
hésitent

Buson

Ils sont sans parole
l'hôte l'invité
et le chrysanthème blanc

Ryôta

Cultivateur de chrysanthèmes
tu es l'esclave
     des chrysanthèmes

Buson

Chrysanthèmes en fleur –
flotte aussi dans l'air
     une odeur d'urine

Issa

Pour qui relève de maladie
les chrysanthèmes
     sentent le froid

Otsuji

Visite au cimetière
le plus jeune enfant
porte le balai

Issa

Visite au cimetière
le vieux chien
ouvre la marche

Issa

La montagne s'obscurcit
prenant le pourpre éclat
des feuilles d'automne

Buson

Descendant des champs
ruisselant sur eux
l'eau de l'automne

Buson

Sous la pluie d'automne
marcher dans l'herbe
immergée

Buson

Le ruisseau englouti
sous les herbes
de l'automne qui s'en va

Shirao

L'eau s'écoule
devient la nuit
de chaque champ

Buson

hiver

Après les chrysanthèmes
hors le navet long
  il n'y a rien

Bashô

Les plantes du jardin
tombent
  et gisent comme elles tombent

Ryôkan

Poussées par le vent d'ouest
les feuilles mortes s'accumulent
  à l'est

Buson

Quand le vent souffle du nord
les feuilles mortes
          fraternisent au sud

Buson

Peu d'humains –
une feuille tombe ici
          une autre là

Issa

Heure calme –
un oiseau marche sur les feuilles mortes
          bruit de ses pas

Ryûshi

Le petit chat
un moment plaque au sol
la feuille entraînée par le vent

Issa

Des feuilles mortes immergées
gisant sur une roche
au fond de l'eau

Jôsô

Le vent apporte
assez de feuilles mortes
pour faire un feu

Ryôkan

On les balaie
puis on les laisse
            les feuilles mortes

Taigi

L'herbe des pampas tombe
l'œil peut voir
            le froid qui augmente

Issa

Parmi les arbres d'hiver
quand la hache s'abattit
            m'assaillit le parfum

Buson

Désolation hivernale –
à la traversée d'un hameau
        un chien aboie

Shiki

Un oiseau solitaire
pour compagnon
        sur la lande desséchée

Senna

Seul reste debout
le portail du monastère
        sur la lande d'hiver

Shiki

Le soleil scintille
sur les pierres
           de la lande desséchée

Buson

Au loin ici et là
des champs de légumes
           sur la lande desséchée

Shiki

Un oiseau s'envole
le vieux cheval tressaille
           sur la lande desséchée

Shiki

Une lanterne
est entrée dans la maison
        sur la lande desséchée

Shiki

La queue du cheval
s'est prise dans les ronces
        sur la lande desséchée

Buson

L'arracheur de navets
montre le chemin
        avec un navet

Issa

Désolation hivernale –
dans un monde à teinte uniforme
le bruit du vent

Bashô

La rafale d'hiver
s'engouffra dans les bambous
et se calma

Bashô

La tourmente d'hiver
à la fin s'abolit
dans le bruit de la mer

Gonsui

La rafale ne veut laisser
la froide pluie d'hiver
        toucher le sol

Kyorai

La voix qui crie après un cheval
fait partie de la tempête
        sur la lande d'hiver

Kyokusui

La lune à l'aube –
les pluviers du rivage
        se dispersent au loin

Chora

Lavant une casserole –
rides sur l'eau –
une mouette solitaire

Buson

Dans le temple Zen
tombent les aiguilles de pin –
le mois sans dieu *

Bonchô

Le dieu est absent
les feuilles mortes s'amoncellent
et tout est déserté

Bashô

---

* *Octobre, où les dieux quittent leur temple pour s'assembler au sanctuaire d'Izumo*

Le vent d'hiver souffle
les yeux des chats
　　　clignotent

Yasô

Comme elles sont affairées
sur la mer dans la pluie
　　　les hautes voiles gonflées de vent

Kyorai

Il a plu assez
pour que le chaume dans les champs
　　　passe au noir

Bashô

La pluie d'hiver
tombe sur l'étable –
un coq chante

Bashô

La bruine d'hiver
paisiblement imbibe
les racines du camphrier

Buson

Les feuilles qui tombent
s'amassent l'une sur l'autre
la pluie bat sur la pluie

Gyôdai

Solitude hivernale –
ce soir écoutant
la pluie dans la montagne

Issa

Les soirs des hommes d'autrefois
furent semblables au mien
ce soir de froide pluie

Buson

Qui veille là-bas
la lampe encore allumée ?
pluie froide à minuit

Ryôta

La pluie d'hiver
montre ce que voient nos yeux
comme si c'était chose ancienne

Buson

La tempête souffle –
de quelqu'un la face
ruisselante

Bashô

Battant le tambour
et buvant les gouttes de pluie
sur ma face

Raizan

De temps à autre
cela tourne en grêle
le vent est fort

Shiki

Chute de grésil –
insondable infinie
solitude

Jôsô

Le vieil étang –
une sandale de paille a coulé au fond
chute de grésil

Buson

Errante seule
sur la lande
la lune d'hiver

Roseki

Dans la froide rafale
une solitaire lune
roule à travers le ciel

Meisetsu

Dans le clair de lune glacé
de petites pierres
crissent sous les pas

Buson

Clair de lune d'hiver –
l'ombre de la pagode de pierre
l'ombre du pin

Shiki

Sous la lune d'hiver
le vent de la rivière
aiguise les roches

Chora

Seul je le traverse
dans le froid clair de lune –
le pont vibrant

Taigi

L'ombre des arbres –
mon ombre est mouvante
sous la lune d'hiver

Shiki

Au cri du faisan argenté
qui ne peut dormir
la lune se glace

Kikaku

Rencontre d'un moine
sur le pont –
la lune d'hiver

Buson

Plus froide que la neige
la lune d'hiver
        sur des cheveux blancs

Jôsô

Cette journée d'hiver
il fait chaud au soleil
        – mais froid

Onitsura

Chrysanthèmes flétris
chaussettes à sécher sur la clôture
        – un beau jour

Shiki

Au portail du Temple Mii –
le son de la cloche
se prend dans l'air gelé

Issa

Le Bouddha de la lande –
du bout de son nez
pend un glaçon

Issa

Un étang
au cœur de la forêt
la glace est épaisse

Shiki

À cheval –
mon ombre gelée
    rampe au-dessous

Bashô

Une baie rouge
a roulé
    sur la gelée blanche du jardin

Shiki

Faisant de la quiétude
mon seul compagnon –
    solitude hivernale

Teiga

Ces mêmes montagnes
mon père les eut devant les yeux
dans l'isolement de l'hiver

Issa

Immobile est la flamme
une sphère arrondie
de solitude hivernale

Yaha

Solitude hivernale –
il est une chose
que j'aimerais demander à Cakyamuni

Shiki

Désolation hivernale –
dans le bassin d'eau de pluie
        des moineaux se promènent

Taigi

Désolation hivernale –
des détritus immergés
        au fond de la rivière

Ichiku

La rivière hivernale –
y flottent en dérive
        des fleurs offertes au Bouddha

Buson

Dans la rivière hivernale
arraché puis jeté là
    un navet rouge

Buson

La rivière hivernale –
pas assez d'eau
    pour quatre ou cinq canards

Shiki

Un chat errant
se soulage
    dans le jardin d'hiver

Shiki

Voix de gens
qui passent à minuit –
        le grand froid !

Yaha

Nuit d'hiver –
sans motif
        j'écoute mon voisin

Kikaku

Mes os mêmes
sentent les couvertures –
        nuit glacée

Buson

Un rat tombe
dans le baquet d'eau –
        froide est la nuit !

Buson

Tandis qu'on distribue
les veilleuses dans les chambres
        le cri du cerf !

Kyoshi

Bruit de la scie
en ce minuit d'hiver –
        bruit de pauvreté

Buson

Levant la tête
je regarde ma forme allongée –
froid amer

Raizan

Le bruit d'un rat
griffant une assiette –
que c'est froid !

Buson

Une fois l'araignée tuée
la solitaire
froide nuit !

Shiki

Les poireaux
tout blancs lavés
que c'est froid !

Bashô

Saison d'hiver –
une jeune putain
racle la suie d'une casserole

Issa

Un enfant de dix ans
qu'on vient donner au temple –
froid amer

Shiki

Je serrai la chaufferette
contre moi
mais mon cœur était loin de là

Buson

Un feu qui meurt –
nuit profonde
on frappe à la porte

Kyoroku

Clair matin d'hiver –
le charbon de bonne humeur
crépite craque !

Shiki

De jour dans la guérite
un brasero
personne là

Shiki

Un feu mourant –
mais soudain la casserole
se met à bouillir

Buson

Feu de charbon de bois –
nos années déclinent
de la même façon

Issa

Première neige –
les feuilles des narcisses
à peine ployées

Bashô

Sur lande et montagne
rien ne bouge
ce matin de neige

Chiyo-ni

Il n'y a plus ni ciel ni terre
rien que la neige
qui tombe sans fin

Hashin

Qu'il est beau
le corbeau d'ordinaire haïssable
ce matin de neige !

Bashô

Même un cheval
est digne de regard
un matin de neige

Bashô

Tandis que les volailles
dormaient
une lourde chute de neige

Kien

Sous le vieux parapluie
la chauve-souris
          vit cachée

Buson

Les chiens poliment
laissent passage
          dans le sentier de neige

Issa

La neige que nous vîmes tomber
est-ce une autre
          cette année ?

Bashô

Quand je pense que c'est ma neige
sur mon chapeau
elle semble légère

Kikaku

Un parapluie – un seul –
est de passage
ce soir de neige

Yaha

Gîte refusé –
les lumières d'une rangée de maisons
dans la neige

Buson

Croque, craque
le cheval mâchant de la paille
un soir de neige

Hyûkoku

Un oiseau chanta
et se tut –
neige dans le crépuscule

Arô

Quand on s'arrête
sur la route du soir
la neige tombe avec plus d'insistance

Kitô

Les lumières du palais
sont affaiblies
cette nuit de neige

Shiki

La boule de neige
à la fin devint
immense

Oemaru

Comme elle fut bientôt
supérieure à nos forces
la boule de neige !

Yaezakura

Le mince trou
fait en pissant
dans la neige devant la porte

Issa

Oui oui criais-je
mais à la porte alourdie de neige
on continuait de frapper

Kyorai

Contemplant la neige
ils disparaissent un à un
dans la neige qui tombe

Katsuri

Que je périsse
sur cette lande de neige
et je deviendrai un Bouddha de neige

Chôsui

Et maintenant
allons contempler la neige
jusqu'à tomber d'épuisement !

Bashô

L'année s'en va –
j'ai caché à mon père
mes cheveux gris

Etsujin

Dans ce soir obscur
la couverture du calendrier
qui touche à sa fin

Buson

Le vieux calendrier
me remplit de gratitude
comme un soutra

Buson

Comme l'un de nous
le chat est là
prenant congé de l'an

Issa

Marche nocturne
la neige tombe
en adieu à l'année

Shara

Comme écartant du pied ce qui fut
sans un regard en arrière
l'année s'en va

Senkaku

Table des matières

RÉALISATION : CHARENTE PHOTOGRAVURE, À L'ISLE-D'ESPAGNAC
IMPRESSION : NORMANDIE ROTO S.A.S. À LONRAI
DÉPÔT LÉGAL : MARS 2006. N° 86387-9 (2004332)
IMPRIMÉ EN FRANCE

Éditions Points

le cercle

Le catalogue complet de nos collections est sur Le Cercle Points, ainsi que des interviews de vos auteurs préférés, des jeux-concours, des conseils de lecture, des extraits en avant-première…

www.lecerclepoints.com

Collection Points Poésie

Collection Points

DERNIERS TITRES PARUS